KB077185

19살의 생각

19살의 생각

발 행 | 2024년 08월 06일
저 자 | 김태희
펴낸이 | 한건희
펴낸곳 | 주식회사 부크크
출판사등록 | 2014.07.15.(제2014-16호)
주 소 | 서울특별시 금천구 가산디지털1로 119 SK트윈타워 A동 305호
전 화 | 1670-8316
이메일 | info@bookk.co.kr

ISBN | 979-11-410-9998-5

www.bookk.co.kr

19 살의 생각

김태희 지음

CONTENT

머리말

이 책을 학창시절 저에게 많은 도움을 주신 부모님과 동생, 그리고 담임 선생님들께 바칩니다. 제가 기뻐하면 함께 웃어주시고 좌절하거나 울면 격려해주신 모든 분들께 이 책을 바칩니다.

19년이라는 긴 시간을 저와 함께해 주셔서 감사합니다. 덕분에 저는 삶을 포기하지 않고 소중한 사람들과 추억을 쌓으며 한층 더 성장할 수 있었습니다. 항상 감사드리며, 그동안 해주신 삶의 조언을 마음 깊이 새기며 꿈을 향해 나아가겠습니다.

저의 19년 삶을 담은 이 책을 통해 여러분도 여러분 안에 있는 소중한 추억들을 떠올리며 힘들 때 조금이나마 치유하는 시간을 가지시면 좋겠습니다.

프롤로그 +1장

푸른 하늘이 가까이 찾아왔다. 햇빛은 나의 모험을 알렸다. 갓 8살이 된 나에게 19년 장기 프로젝트가 지금 시작되었다. 들어본 적 없는 익숙하지 않은 책가방에 본격적인 낯선 시간들에서 필요한 교과서를 넣고 떨리는 마음으로 준비를 한다. 이건 나의 인생에 있어 첫번째 모험이 된다. 나는 엄마의 손을 잡고 학교에서 발생한 각종 이야기를 담은 모험일지를 펴냈다.

8살이 된 나는 초1이라는 계급을 받았고 교문에 들어섰다. 하지만 밝은 마음과 달리 쉽사리 움직여지지 않았다. 내 옆에서 지나가는 고학년 선생들과 높은 학년의 형사들을 보면서 정말 내가 이 긴 여행을 끝마칠 수 있을지 걱정이 되기 시작했다. 하지만 엄마는 가야 한다고, 여기서 물러나서는 안된다며 나를 향해 응원해주셨다. 그 때문인지 나의 발이 조금씩 움직였고 다시 눈을 뜨고 앞으로 나아갔다. 그러자 그동안 내가 본 동심가득한 세상이 조금은 어둡고 차갑지만 부인할 수 없는 고요한 현실 세계로 바뀌어 있었다. 그러자 나의 초롱초롱한 눈도 어느 순간 무미건조한 눈이 되어 보다 현실적으로 세계를 바라봤다. 동심을 마음 한 구석에 남겨두고 수업을 듣기 위해 반에 들어섰다. 대략 20명 쯤 되는 아이들이 반 안에서 조용히 앉아있었다. 분위기에 이끌려 나도 조용히 앉아서 선생님을 기다렸다. 그때 내 옆에서 누군가 다가왔다. 다가온 목적은 다름아닌 작은 인사였다. 친구가 익숙지 않은 나에게 건넨 상냥한 미소로 보였으며 나도 어색하게 웃으며 그런 마냥 손을 흔들었다. 그 아이는 만족한 듯이 자리를 떠났고 나는 안도의 한숨을 내쉬었다. 그때 선생님이 오셨고 학교의 규칙과 앞으로의 일정에 대해 하나씩 설명해주셨다. 나는 긴장해서 경청했고 규칙은 반드시 지키자고 다짐했다. 그것이 아직 아무것도 모르는 내가 할 수 있는 최선이었다. 그러자 수업이 시작됐다. 모두가 연필을 쥐며 수업을 들었다. 시간은 흘러 점심시간이 되었고 나는 선생님의 지시에 따라 급식실로 향했고, 반 아이들과 학교에서 첫 식사를 시작했다. 정말 모든 것이 낯설었다. 아이들도, 선생님도, 그리고 [illegible] 현실을 둘러싸고 있는 공기도. 나는 정말 이 긴 모험을 마칠 수 있을까? 아니 그전에 이 반에서 적응할 수는 있을까 나는 앞으로 무엇을 목표로 학교에 다녀야 할까 등 정말 온갖 고민거리가 머리 속을 휩쓸었다. 그런 고민거리를 지닌 나를 알아챘는지 아까 나에게 말을 걸어준 아이가 다가와 오후수업을 마치고 집으로 돌아가던 나에게 말을 걸어주었고 나는 아까보다는 편안한 표정으로 웃음을 짓고 대화를 나눴다. 덕분에 나를 사로잡은 고민들이 한순간에 사라졌고 그저 돌아오지 않을 이 소중한 순간을 즐기자는 결심을 했고 그 아이와 둘도 없는 소중한 친구가 되었으며 그 친구 덕분에 학교에 점차 적응을 하였고 학교에서 즐겁게 시간을 보내면서 나의 초1로서의 학교생활이 마무리되었다.

제1장 모험의 시작

푸른 하늘이 기꺼이 찾아왔다. 햇빛은 나의 모험을 알렸다. 갓 여덟 살이 된 나에게 19년 장기 프로젝트가 시작되었다. 낯선 학교 시간표를 보면서 교과서를 책가방에 넣고 맨 다음 떨리는 마음으로 문을 열 준비를 하였다. 이건 나에게 있어 첫 번째 모험이 될 것이다. 나는 엄마의 손을 잡았고 학교로 향해 나아갔다.

밖에는 아침부터 분주히 움직이는 자동차들과 지저귀는 새들, 맑은 공기가 있었고 덕분에 긴장을 조금이나마 풀어내는 듯하면서도 마음속은 공포에 휩싸여 심장이 강하게 요동쳤다. 좀처럼 앞을 내다보기가 어려웠다. 그렇게 견습 용사로서의 자신감과 초보 모험가로서의 두려움이 충돌하는 가운데 교문이라는 난관을 마주했다. 어렸을 때부터 몸이 왜소하여 자주 아팠던 나에게는 여기까지 온 것만으로도 과분한 성취였다.

교문 앞에 선 나는 조금이나마 남아 있던 자신감은 온데간데없이 사라졌으며 그저 두려움이 내 마음을 지배하고 있었다. 내 옆을 지나가는 또래 견습 용사들을 보면서 이렇게 멈춰 서 있는 나 자신에게 답답함을 느꼈다. 발을 내딛으려고 해도 오늘따라 몸은 뇌의 명령에 따라 자연스레 움직여주지 않았다. 그저 '내가 이 여행을 끝마칠 수 있을까'라는 막연한 생각만 하게 되었다. 이런 모습을 보신 어머니께서 나에게 여기서 멈춰서 있으면 안 된다고 앞으로 나아가야 한다고 말씀해 주셨다. 덕분에 두려움에 사로잡혀 있는 나는 용기를 받았고 다시 힘을 내 엄마의 손을 놓고 학교 안으로 들어갔다. 그 순간 깨달았다. 이제부터가 본격적인 시작이라는 것을.

학교의 풍경은 바깥 세상과 별 다를 바 없었으나 그동안 나를 둘러싼 동심 가득했던 세상이 조금은 어둡고 차갑지만 결코 부인할 수 없는 고요한 현실 세계로 바뀌어 있었다. 지나간 일은 추억이 되고 추억은 추억으로만 존재할 뿐이라는 것을 이제야 온몸으로 느낄 수 있었다. 그럼에도 좌절해서는 안 된다. 현실을 마주하기로 다짐한 것은 다른 누구도 아닌 내가 결정한 것이고 때문에 나는 결코 여기서 나아가는 것을 포기할 수 없었다. 그런 마음가짐을 지닌 채 교실로 향했다.

교실에 들어서자 그곳에는 수없이 많은 용사들이 하나의 공간에 모여 있었다. 그 분위기에 이끌려 나도 나의 자리가 있는 책상을 찾아갔고 1년간 나를 이끌어 주실 선생님을 조용히 기다렸다. 교실 안에는 20명의 어린 아이들이 있었지만 내가 교실에 있는 게 맞는지 의문이 들 정도로 굉장히 조용했다. 면식이 전혀 없는 사람에게 주저없이 말을 거는 것 자체가 나 같은 어린 학생들에게는 힘든 일이다. 교실에는 그저 새의 지저귐이 울릴 뿐이었다.

그 순간 교실 앞문에서 나이가 있어 보이는 어른이 들어오셨고 인사하셨다. 선생님이셨다. 나를 1년 동안 이끌어 주실 존재이자 올해 학교에서 가장 의지하게 될 선생님께 우리들도 예의를 갖춰 인사를 했다. 그걸 보신 선생님은 웃음을 지으셨다. 앞으로 진행될 일정을 알려주셨고 수업이 시작되었다.

수업은 지루하기 짝이 없었다. 애초에 처음 배우는 내용이었기에 낯설고 지루할 수밖에 없었다. 나만 그런 건 아닌지 다른 아이들도 멍하니 수업을 듣고 있었다. 쉬는 시간이 되었다. 그때 내 옆에 누군가 다가왔다. 다가온 목적은 다름아닌 작은 인사였다. 그건 마치 친구가 익숙지 않은 내게 건넨 상냥한 미소로 보였으며 나도 어색하게 웃으며 손을 흔들었다. 그 아이는 만족한 듯이 자리고 떠났고 나는 안도의 한숨을 내쉬었다. 그때 선생님이 오셨고 학교의 규칙과 앞으로의 일정에 대해 하나씩 설명해 주셨다. 나는 집중해서 경청했고 규칙은 반드시 지키자고 다짐했다. 모두가 연필을 쥔 채 수업을 들었다.

시간은 흘러 점심시간이 되어 나는 선생의 지시에 따라 급식실로 향했고, 반 아이들과 학교에서 첫 식사를 시작했다. 정말 모든 것이 낯설었다. 아이들도 선생님도, 그리고 차가운 현실을 둘러싸고 있는 공기도. 나는 정말 이 긴 모험을 마칠 수 있을까? 아니 그런데 이 반에서 적응할 수는 있을까? 나는 앞으로 무엇을 목표로 학교에 다녀야 할까 등 정말 온갖 고민거리가 머리속을 휩쓸었다. 그런 고민거리를 지닌 나를 알아챘는지 아까 나에게 말은 걸어준 아이가 다가와 오후수업을 마치고 집으로 돌아가던 나에게 말을 걸어주었다. 나는 아까보다는 편안한 표정으로 웃음을 짓고 대화를 나눴다. 덕분에 나를 사로잡은 고민들은 일순간에 사라졌고 그저 돌아오지 않을 이 소중한 순간을 즐기자는 결심을 했다. 그 아이와 둘도 없는 소중한 친구가 되었으며 그 친구 덕분에 학교에 점차 적응을 하였다. 학교에서 즐겁게 시간을 보내면서 나의 초1로서의 학교생활이 마무리 되었다.

이후로도 2명의 아이와도 친한 친구가 되었고 막힘없이 즐겁게 학교 생활을 보내고 있었다. 하지만 4년 후 초5가 되었을 때 내 인생을 바꾼 인물이 장벽처럼 가로막고 있었다. 초4 끝자락 겨울방학 때 초5 반 배정을 받고 친구들에게 몇 반이지 물어봤다. 하지만 이번에는 그 누구와도 같은 반이 되지 않았던 나는 조금 불안함을 가진 채로 학교에 들어섰고 내가 배정된 반의 문을 조심히 열자, 정말로 아는 얼굴이 단 한명도 없었으며 전혀 모르는 아이들이 있었다. 고학년이 되자 반도 1학년 때와는 달리 꽤나 소란스러웠으며 심지어 어떤 이는 짐볼 공을 가져와 친구들과 놀기도 했다. 나는 초4 때 책을 많이 읽어서 상까지 받을 정도로 학교에서 존재감은 이미 바닥이었고 나 또한 말수가 줄어들고 조용한 사람이 되었다. 그런 나의 성격과는 달리 반은 소란스러워 조용한 사람이 손에 꼽을 정도로 적었다. 그리고 욕설과 비속어가 아이들의 입에서 쏟아져나와 물에 떨어졌고 수학책은 걸레가 되어 머리를 때렸고 환기통에 날 정도로 이 분위기가 몹시 불편했고 무서웠다. 그때 이 소란을 잠재운 인물이 교실문을 벌컥 열고 들어왔다. 앞으로 나의 초5를 책임지실 선생님이 들어왔다. 내 생에 첫 남자 선생님이셔서 더욱 긴장했다. 모두가 금새 얼어붙었고 차가운 분위기가 아 수업이 시작되었다. 조용해진 분위기에 잠시 한숨 놓으려는 때 누군가가 시끄러운 목소리로 수업을 방해하기 시작했고 그 소음은 다른 아이들에게도 퍼져 반 분위기가 엉망이 되었다. 그러자 선생님은 처음 소란을 피운 그 아이에게 분필을 던졌고 칠판을 세게 치면서 강력하게 군기를 잡았다. 그때 느꼈다. 아아 이번 1년은 망했다고. 나는 항상 수업을 들으면서 제발이 수업이 잘 끝나게 기도할 수 밖에 없었다. 초5 선생님은 수업에 항상 엄격하셨고 우리 반의 평균을 올리기 위해 시험 기간에는 7교시까지 되었다. 그러나 내가 7교시 시험에 대한 불만을 너무 예의없이 표출해 나 또한 선생님께 크게 혼나기도 했다. 결국에 나는 그 이후로 "단체 카톡방에서도 말을 조심하기로 결심했다며, 정신적 성장을 이룩하였고 무섭기는 하지만 열심히 잘 가르쳐주시는 선생님을 보고 나도 공부에 흥미를 갖기 시작하면서 공부에 대한 열정을 불태워 그의 기대에 부응해보고자 열심히 공부하였으며 그 결과 2학기 기말고사에서 한 문제만 빼고 모두 맞추면서 공부에 대한 자신감을 키우게 되었다. 그 날 이후 모두가 나의 눈부신 성장에 놀랐고, 나는 웃음을 참지를 못했다. 이후로 공부에 더 큰 열정을 가지게 되었고, 나를 이렇게 성장시켜주신 담임 선생님께 감사를 느꼈다. 그렇게 나의 길었던 5학년 생활은 나의 큰 성장과 함께 마무리되었다

제2장 인생의 분기점

이후로도 두 명의 아이와 친구가 되었고 막힘없이 즐겁게 학교생활을 보내고 있었다. 하지만 4년 후 초 5가 되었을 때 내 인생을 바꾼 인물이 장벽처럼 가로막고 있었다. 초 4 학기말 겨울방학 때 초 5반 배정을 받고 친구들에게 몇 반인지 물어봤다. 이번에는 그 누구와도 같이 반이 되지 않았다. 나는 조금 불안함을 가진 채로 학교에 들어섰다. 내가 배정된 반의 문을 조심히 열자, 정말로 아는 얼굴이 단 한 명도 없었으며 전혀 모르는 아이들만 있었다.

고학년이 되자 반도 1학년 때와는 달리 꽤나 소란스러웠다. 심지어 어떤 이는 짐볼을 가져와 친구들과 놀기도 했다. 나는 초 4때 책을 많이 읽어서 상까지 받을 정도로 학교에서 점잖은 이미지가 있었고 나 또한 말수가 줄어들고 조용한 사람이 되었다. 그러나 나의 성격과 달리 반은 소란스러워 조용한 사람이 손에 꼽을 정도로 적었다. 그리고 욕설과 비속어가 아이들의 입에서 쏟아져나와 돌연

얼어붙었고 수많은 걱정거리가 머리를 맴돌아 현기증이 날 정도로 이 분위기가 몹시 불편했고 무서웠다.

그때 이 소란을 잠재운 인물이 교실문을 벌컥 열고 들어왔다. 앞으로 나의 초 5를 책임지실 선생님이 들어왔다. 내 생애 첫 남자 선생님이셔서 더욱 긴장했다. 모두가 금세 얼어붙었고 차가운 분위기에서 수업이 시작되었다. 조용해진 분위기에 잠시 한숨 놓으려는 때 누군가가 시끄러운 목소리로 수업을 방해하기 시작했고, 그 소음은 다른 애들에게도 퍼져 반 분위기가 엉망이 되었다. 그러자 선생님은 처음 소란을 피운 그 아이에게 분필을 던졌고 칠판을 세게 치면서 갑작스레 군기를 받았다. 그때 느꼈다. 아아 1년은 망했다고. 나는 항상 수업을 들으면서 애들이 수업에 잘 집중하게 기도할 수 밖에 없었다.

선생님은 수업에 항상 열중하셨고 우리 반의 평균을 올리기 위해 시험 기간에는 깜지 시험까지 치렀다. 그러나 내가 감정에 치우쳐 깜지 시험에 대한 불만을 너무 예의없이 표출해 나 또한 선생님께 크게 혼나기도 했다. 나는 그 이후로 단체 카톡방에서도 말을 조심하기로 결심했으며, 정신적 성장을 이룩하였다.

무섭기는 하지만 열심히 잘 가르쳐주시는 선생님을 보고 나도 공부에 흥미를 갖기 시작하면서 공부에 대한 열정을 불태워 그의 기대에 부응해보고자 열심히 공부했다. 그 결과 2학기 기말고사에서 한 문제 빼고 모두 맞추어서 공부에 대한 자신감을 키우게 되었다. 그날 이후 모두가 나의 눈부신 성장에 놀랐고, 나는 많은 환호를 받았다. 이후로 공부에 더 큰 열정을 가지게 되었고, 나를 이렇게 성장시켜준 담임 선생님께 감사함을 느꼈다. 그렇게 나의 길었던 5 학년 생활은 나의 큰 성장과 함께 마무리되었다.

3장

힘들었던 5학년 생활을 마치고 벌써 1학년의 힘든 초등학교 세월에 무색하게 중학교를 준비할 6학년이 되었다. 6학년 때의 분위기는 이전과는 사뭇 달랐다. 교실문을 열자, 작년보다 더 아는 사람이 많아서 일단 안심됐다 적어도 이번 년도는 친구 때문에 고생하리라는 일은 없을 거라고 생각했다. 그리고 대망의 나의 마지막 초등학생 시절을 책임져주실 선생님이 교실로 들어오셨다. 첫인상은 꼼꼼히 공부하고 깐깐한 이미지 였다. 다소 난폭한 인상이셨던 5학년 선생님과는 전혀 달랐다. 또한 5학년 선생님은 활동적인 것을 좋아하셨지만 6학년 선생님은 조용히 음악 듣고 악기를 연주하시는 것이 취미인 분이셨어서 작년에 보냈던 분위기와는 전혀 다른 분위기 였기에 [illegible] 어색했지만 나에게는 확실히 조용하고 침착하신 이번 선생님이 더 나았다. 그래서 그런지 선생님과 처음으로 친해지고 싶다는 생각을 갖게 되었다. 그래서 선생님께 다가가기 힘들었던 5학년 때와는 달리 이번에는 나와 성격이 비슷한 선생님과 대화해보고 싶어 자유적으로 다가가 모르는 문제도 질문하고 사소한 담소도 나누었다. 그래서 그런지 어느 졸업식 때에는 나에게 공부도 열심히 하면서 학교도 즐겁게 다니는 밝은 미소를 지닌 학생이라고 칭찬해주셨다. 선생님과만 친해진 것이 아니었다. 6학년은 말 그대로 내 인생의 다시는 없을 찬란한 전성기라고 부를 수 있을 만큼 정말 많은 친구들과 어울리며 지냈다. 윤현이, 수빈이, 수현이는 물론이고 전혀 관련이 없는 친구들과도 술래잡기나 보드게임을 하며 친하게 지냈다. 그래서 가끔씩 친구들과 다투기도 하였고 그러면서 더 나은 정신적으로는 성숙해질 수 있었다. 공부 또한 열심히 했는데 친구들과 자주 놀면서 성적이 작년처럼 크게 오르거나 하지는 않았지만 그럼에도 높은 성적을 유지하면서 자존감이 크게 상승해 학교를 정말 즐겁게 다닐 수 있었다. 그리고 선생님께서 악기연주를 좋아하셨다 보니 이번 학예회때 콜드플레이의 곡; Viva la Vida를 멜로디언으로 연주하게 되었는데 태어나 살면서 피아노 같은 건반 악기를 연주한 적이 없어 처음은 긴장했는데 다행히 선생님께서 열심히 가르쳐주신 덕분에 학예회를 잘 준비할 수 있었다. 사실 4학년 때부터 플룻을 배워서 이번 학예회 때 멜로디언 대신 플룻으로 부르고 싶었으나 곡의 분위기와는 잘 어울리지 않을 것 같아 선생님이 시키시는 대로 멜로디언 연습에 최선을 다하였다. 멜로디언 외에도 다양한 타악기를 사용해 곡을 더 완성도 있게 연주했고 결과는 성공적이었다. 이 날 모두와 함께 악기 연주를 한 경험은 아직도 선명하게 기억에 남아있다. 그렇게 졸업식이 찾아왔고 나는 몇명의 친구들을 떠나보내고 다시 볼 기를 바라며 중학교에 들어섰다.

제3장 웃음 속에서 피어나는 꿈

힘들었던 5학년 생활을 마치고 1학년의 힘든 초등학교 세월이 무색하게 벌써 중학교를 준비할 6학년이 되었다. 6학년 때의 분위기는 이전과는 사뭇 달랐다. 교실 문을 열자, 작년보다 더 아는 사람이 많아서 일단 안심했다. 적어도 이번 년도는 친구 때문에 고생하지는 않을 거라고 생각했다.

대망의 나의 마지막 초등학교 시절을 책임져주실 선생님이 조용히 들어오셨다. 첫인상은 굉장히 침착하고 점잖은 이미지였다. 다소 난폭한 인상이었던 5학년 선생님과는 전혀 달랐다. 또한 5학년 선생님은 활동적인 것을 좋아하셨지만 6학년 선생님은 조용히 음악을 듣고 악기를 연주하시는 것이 취미인 분이셔서 작년에 보냈던 분위기와는 전혀 다른 분위기였다.

나에게는 확실히 조용하고 침착하신 이번 선생님이 더 나았다. 그래서 그런지 선생님과 처음으로 친해지고 싶다는 생각을 갖게 되었다. 그래서 선생님께 다가가기 힘들었던 5학년 때와는 달리 이번에는 나와 성격이 비슷한 선생님과 대화해보고 싶어 적극적으로 다가가 모르는 문제를 질문했고 사소한 담소도 나누었다. 그래서 그런지 이후 졸업식 때에는 내게 '공부도 열심히 하면서 학교를 즐겁게 다니는 밝은 미소를 지닌 학생'이라고 칭찬해주셨다.

선생님과만 친해진 것이 아니었다. 6학년은 말 그대로 내 인생에서 다시는 없을 찬란한 전성기라고 부를 수 있을 만큼 정말 많은 친구들과 어울리며 지냈다. 문현이, 수율이, 수현이는 물론이고 전혀 안면이 없는 친구들과도 술래잡기나 보드게임을 하며 친하게 지냈다. 그래서 가끔씩 친구들과 다투기도 하였고 화해하면서 다시금 정신적으로 성숙해질 수 있었다. 공부 또한 열심히 했는데 친구들과 자주 놀면서 성적이 작년처럼 크게 오르거나 하지는 않았지만 그럼에도 높은 성적을 유지하면서 자존감은 크게 상승해 학교를 정말 즐겁게 다닐 수 있었다.

그리고 선생님께서 악기연주를 좋아하시다 보니, 학예회 때에 골드플레이의 곡 'viva la vida'를 멜로디언으로 연주하게 되었다. 내가 살면서 피아노 같은 건반악기를 연주한 적이 없어 많이 긴장했는데, 선생님께서 열심히 가르쳐 주신 덕분에 다행히 학예회를 잘 준비할 수 있었다. 사실 4학년 때부터 플루트를 배워서 이번 학예회 때 멜로디언 대신에 플루트를 불고 싶었으나 곡의 분위기와는 잘 어울리지 않을 것 같아 선생님의 지시대로 다시 멜로디언 연습에 최선을 다하였다. 멜로디언 외에도 다양한 타악기를 사용해 곡을 더 완성도 있게 연주했고 결과는 성공적이었다. 이날 모두가 함께 악기 연주를 한 경험은 아직도 선명하게 기억에 남아있다.

끝내 졸업식이 찾아왔고 나는 몇 명의 친구들을 떠나보내고 다시 용기를 내어 중학교에 들어섰다.

4장

기나긴 초등학교가 마무리가 되었고 중학교에 진학하였다. 이제부터는 정말로 입시와의 싸움이다. 이를 위해 나는 익숙지 않은 교복을 입고 학교를 매일 다녔다. 친구는 여전히 사귀지 않았다. 어차피 어른이 되면 사이가 멀어질 건데, 그럴 바에는 차라리 면식이 없는 채로 헤어지는 게 덜 슬퍼하며 작별 인사를 할 거라고 생각했기 때문이다. 이러한 신념은 졸업 때까지 계속 이어졌고 학교에서는 나를 조용한 우등생이라고 평가했다. 그런 평가를 뒤로 하고 중2에 들어섰다. 반에는 당연하게도 친구는 없었으며 오히려 친구가 없는 것이 편했다. 혼자 있는 것이 좋았고 혼자 하는 것이 옳다고 생각했다. 그 때문인지 어떤 방해를 받지 않고 온전히 공부에 집중했다. 특히 수학에 흥미가 생겼는데, 다양한 방법을 사용해 답을 찾아가는 것이 즐거웠으며, 이를 열심히 계속 하다 보니 어느 순간 한 가지 방법만으로도 답을 찾으며 처음 보는 문제는 다시 다양한 방법으로 풀기 위해 끊임없이 고민하는 나 자신을 볼 수 있었다. 나 스스로도 수학적 사고력과 문제해결 능력이 크게 성장했음을 체감했고, 수학 학원에 가서 질문을 하고 모르는 문제를 알아가는 게 즐거웠다. 정말로 수학만큼 재밌는 과목은 없다고 생각했다. 그만큼 중2 때 수학은 내 인생에서 가장 즐거운 과목이었다. 영어의 경우 어렸을 때 영어유치원에 다녔고 초등학교 때 영어학원을 다니면서 다양한 영어로 쓰여진 책을 읽었고 듣기, 말하기 실력을 갖추고 있었기에 큰 어려움은 없었으나, 학년이 올라가면서 배우는 단어와 문법이 많아지고 어려워지자, 내가 다닌 영어유치원에 근무하셨던 Eric 선생님이 새롭게 차리신 영어 학원에 다니게 되었고, 선생님의 꼼꼼하고 재밌는 수업과 높은 집중력이 특기인 나와 아주 좋은 시너지를 냈고 덕분에 처음으로 단어장을 다 외웠고 문법도 더 이상 겁먹지 않고 풀 수 있을 정도로 실력이 크게 늘었다. 정말로 나의 기본적인 지식들은 거의 중2 때 한 공부에서 왔다고 당당하게 말할 수 있을 것 같다. 이렇게 열심히 하는 나를 보면서 학교와 학원 선생님들께 많은 응원과 칭찬을 받았고 그 힘으로 넘어져도 다시 일어서면서 끝까지 공부를 계속할 수 있었다. 그 노력들이 결실을 맺었는지 끝내 중2 기말고사 전교 1등을 하면서 많은 이들에게 축하를 받았고 그런 나에게 자극을 받았는지 평소에 공부를 안 하던 아이들이 나를 보면서 열심히 공부했고 그중에 이시온이라는 친구는 마치 옛날 나의 라이벌 같을 정도를 이루며 크게 성장했다. 그리고 중3이 되었고 앞으로도 이런 상태로 유지되면 큰 꿈을 이룰 거라는 생각에 설렘을 느끼던 나에게 큰 시련이 찾아왔으며 나는 이를 내 인생의 분기점이라고 칭한다.

제4장 꿈을 향해

기나긴 초등학교가 마무리되었고 중학교에 진입하였다. 이제부터는 정말로 입시 싸움이었다. 이를 위해 나는 익숙지 않은 교복을 입고 책을 챙겨 다녔다. 친구는 이제 상관없다. 어차피 어른이 되면 사이가 멀어질 건데, 그럴 바에야 차라리 면식이 없는 채로 헤어져야 덜 슬퍼하며 작별 인사를 할 거라고 생각했기 때문이다. 이러한 신념은 중 1까지 계속 이어졌고 학교에서 나는 조용한 우등생이라고 평가받았다.

그런 평가를 지낸 채로 중 2에 들어섰다. 반에는 당연하게도 친구가 없었으며 오히려 친구가 없는 것이 편했다. 혼자 있는 것이 좋았고 혼자 있는 것이 옳다고 생각했다. 그 때문인지 어떤 방해도 받지 않고 온전히 공부에 집중했다. 특히 수학에 흥미가 처음 생겼는데, 다양한 방법을 사용해 답을 찾아가는 것이 즐거웠으며, 이를 열심히 계속하다 보니 어느 샌가 한 가지 방법만으로도 답을 찾았으며 처음 보는 문제는 다시 다양한 방법으로 풀기 위해 끊임없이 고민하는 나 자신을 볼 수 있었다. 나 스스로도 수학적 사고력과 문제해결능력이 크게 성장했음을 체감했다. 수학학원에 가서 질문을 하고 모르는 것을 알아가는 것이 즐거웠다. 정말로 수학만큼 재미있는 과목은 없다고 생각했다. 그만큼 중2 때 수학은 내 인생에서 가장 즐거운 과목이었다.

영어의 경우 어렸을 때 영어유치원에 다녔고 초등학교 때 영어학원을 다니면서 영어로 쓰인 다양한 책을 읽었고 듣기, 말하기 실력을 갖추고 있었기에 큰 어려움은 없었다. 그러나 학년이 올라가면서 배우는 단어와 문법이 많아지고 어려워지자 내가 다닌 영어학원에 근무하셨던 Eric 선생님이 새롭게 차리신 영어 학원에 다니게 되었다. 선생님의 깔끔하고 재미있는 수업과 높은 집중력이 특기인 내가 아주 좋은 시너지를 냈고 덕분에 처음으로 단어장을 다 외웠고 문법도 더 이상 겁먹지 않고 풀 수 있을 정도로 실력이 크게 늘었다. 정말로 나의 기본적인 지식들은 거의 중2 때 한 공부에서 왔다고 당당하게 말할 수 있다.

이렇게 열심히 하는 나를 보면서 학교와, 학원 선생님들께 많은 응원과 칭찬을 받았고 그 힘으로 지쳐도 다시 일어서면서 끝까지 공부를 계속할 수 있었다. 그 노력들이 결실을 맺었는지 끝내 중2 기말고사 때는 전교 1등을 하면서 많은 이들에게 축하를 받았다. 그런 내게 자극을 받았는지 평소에 공부를 안 하던 아이들이 나를 보면서 열심히 공부했고, 그중에 어떤 친구는 마치 나의 제자 같았을 정도로 이후로 크게 성장했다. 그리고 중3이 되었고 앞으로 이런 성적을 유지하면 큰 꿈을 이룰 거라는 생각에 싱글벙글하던 내게 큰 시련이 찾아왔다. 나는 이를 내 인생의 분기점이라고 칭한다.

5장

중3이 되었다 그리고 절망이 찾아왔다. 이 절망의 시작은 독해였다. 중3이 되었다는 것은 곧 고등학생이 된다는 것. 이에 대비하기 위해서 학원에서는 영어 독해 연습을 시켰고 국어에서는 비문학 독해를 연습했다. 꾸준한 단어와 문법은 다 알고 있기 때문에 독해도 어렵지 않을 거라 생각하고 영어 독해 문제를 푸는데 이건 아예 다른 세상이었다. 물론 단어와 문법이 기본으로 깔려 있어야 하지만 독해는 그것보다 내용을 이해하는게 중요했다. 즉 내용을 이해를 못하면 풀 수가 없는 것이 독해였다. 때문에 영어로 된 문장을 한글로 직독직해하여서 내용을 이해하는 것에 어려움을 느꼈고, 어느 정도의 의역을 해야 겨우 이해를 했다. 그래서 독해는 새로운 장애물이 되었고 결국 영어 독해는 고등학교에 와서야 겨우 직독에 익숙해지면서 문제를 풀었다. 그러나 문제는 이것만이 아니었다. 더 큰 문제는 따로 있었는데, 바로 비문학 지문 독해였다. 단언코 학창시절 가장 힘들었던 공부라고 말할 수 있을 정도인데 새끼 거북이가 알에서 깨어나 잡아먹히지 않고 안전하게 바다로 돌아가는 길만큼 굉장히 힘들었던 공부였다. 생판 처음 보는 복잡한 내용의 긴 지문을 제한시간안에 모두 풀어야 하는 것은 굉장히 빡셌고 내용을 이해하는데 몇 시간을 쏟았고 그로 인해 공부 자체에 흥미가 사라져 자연스레 성적이 떨어졌으며 공부에 대한 의욕이 사라졌고 여름방학 때부터 완전히 공부에 손을 놓았다. 학원도 다니기 힘들어 쉬었으며 방학 이후 학교에 등교하는 비율이 줄어들었다. 끝내는 몇 개월간 학교를 쉬기도 하면서 긴 휴식을 취했다.

ibis

5장 후반부

휴식을 주면서 나는 그동안 해보지 못했던 것들을 해보게 되었다. 공부에 벗어나 인터넷을 자주 접하면서 유튜브에 영상을 올리는 인터넷 방송인, 스트리머에 대해 호기심이 생겼고, 이를 계기로 특히 트위치라는 실시간으로 인터넷 방송을 볼 수 있는 어플을 설치했고 그곳에서 내가 주로 보던 유튜버들의 실시간 방송을 보게 되었다. 실시간으로 시청자와 소통을 하는 방송을 보며 기존에 보던 TV 프로그램과 다른 매력을 느꼈으며 이 매력에 빠진 나는 어느 순간 TV보다 라이브 방송을 더 많이 보게 되었다. 직접 채팅을 치진 않아도, 라이브 방송을 시청하는 것 자체가 즐거움을 주었다. 라이브 방송을 보면서 나와 비슷한 상처를 가진 사람들의 이야기도 들을 수 있었고 그들의 이야기에 공감을 받기도 했다. 그리고 나와 접점이 전혀 없는 사람으로부터 삶에 대한 위로도 받으면서 가끔씩은 울기도 했고 그동안 지쳐 있던 웃음을 회복하기도 했다. 그렇게 인터넷 방송을 자주 보게 되면서 인터넷 방송은 삶에 대해서 원동력이 되어 주었고 내 인생은 아직 끝나지 않았으며 이제부터가 새로운 시작이라는 것을 깨닫고, 학교를 쉬는 동안 삶을 살아가는 것을 포기하지 않았다. 인터넷 방송 뿐만 아니라, 그동안 시간이 없어서 보지 못했던 애니메이션을 시청하게 되었다. 그리고 애니메이션에서 의도치 않게 명대사를 들으며 삶에 대한 교훈과 위로를 받게 되자 선입견이 사라졌고, 더 다양한 장르의 애니메이션을 보면서 점차 애니메이션에 완전히 매료되었다. 그 중 가장 인상적인 작품은 '86-에이티식스'라는 작품으로서 인종이 다르다는 이유로 차별받아 86구로 몰려난 어린 아이들이 무인병기라는 이름 하에 전쟁에 뛰어들며 일어나는 이야기를 다룬 애니메이션인데 이 작품을 보면서 삶의 의미를 잃어버린 주인공이 다시 일어서며 나아가는 과정을 통해 나는 더욱 많은 공감을 받았고 힘내는 나의 원동력이 되었다. 그리고 해당 작품에 나오는 OST를 들으며 일본 노래에 관심이 생겼고 일본 노래 특유의 밝고 희망찬 가사에 매료되어 자주 듣게 되었다 그리고 애니플러스라는 애니메이션 공식 굿즈샵에 가보면서 내가 좋아한 작품들의 굿즈를 사는 것에 흥미가 생겼고. 초등학교 때 문방구에서 불량식품들을 사 먹은 이후로 처음으로 나만의 작은 소비를 하는 보람도 느끼면서 나만의 영역을 만들어 주었다. 빠르게 시간이 흘러 졸업식이 다가왔다. 부모님과 선생님께서 내가 졸업할 수 있도록 열심히 노력해주신 덕분에 나는 졸업을 할 수 있었고, 드디어 길고 길었던 중학교를 졸업해 고등학교라는 미지의 공간에 들어서게 되었다

ibis

제5장 새로운 시작

중 3이 되었다. 그러고 절망이 찾아왔다. 이 절망의 시작은 독해였다. 중 3이 되었다는 것은 곧 고등학생이 된다는 것. 이에 대비하기 위해 학원에서는 영어독해 연습을 시켰고 집에서는 비문학 독해를 연습했다. 웬만한 단어와 문법을 다 알고 있기 때문에 독해는 어렵지 않을 거라 생각하고 영어독해문제를 푸는데 이건 아예 다른 세상이었다. 물론 단어와 문법이 기본으로 깔려 있어야 하지만 독해는 그것보다 내용을 이해하는 게 중요했다. 지문 내용을 이해를 못하면 풀 수가 없는 것이 독해였다. 때문에 영어로 된 문장을 한글로 직독직해하면서 내용을 이해하는 것에 어려움을 느꼈고, 어느 정도의 의역을 해야 겨우 이해를 했다. 그래서 독해는 새로운 장애물이 되었고, 결국 영어독해는 고등학교에 와서야 겨우 적응해 의역하면서 문제를 풀었다. 그러나 문제는 이것만이 아니었다. 더 큰 문제는 따로 있었는데, 바로 비문학 지문 독해였다. 단연코 학창시절 가장 힘들었던 공부라고 말할 수 있을 정도다. 새끼 거북이가 알을 깨어나 잡아먹히지 않고 안전하게 바다로 들어가는 것만큼 굉장히 힘들었던 공부였다. 생판 처음 보는 복잡한 내용의 긴 지문을 제한 시간에 모두 풀라는 것은 굉장히 벅찼고 내용을 이해하는 데에만 몇 시간을 쏟았다. 그로 인해 공부 자체에 흥미가 사라져 자연스레 성적이 떨어졌으며 공부에 대한 의욕이 사라졌고 여름방학 때부터 완전히 공부에 손을 놓았다. 학원도 다니기 힘들어 쉬었으며 방학 이후 등교하는 비율이 줄어들었다. 끝내는 몇 개월간 학교를 쉬기도 하면서 긴 휴식을 취했다.

휴식을 취하면서 나는 그동안 해보지 못했던 것들을 해보게 되었다. 공부에 벗어나 인터넷을 자주 접하면서 유튜브에 영상을 올리는 인터넷 방송인 스트리머에 대해 호기심이 생겼다. 이를 계기로 직접 트위치라는 실시간 인터넷 방송을 볼 수 있는 어플을 설치했고 그곳에서 내가 주로 보던 유튜버들의 실시간 방송을 보게 되었다. 실시간으로 시청자와 소통을 하는 방법을 보며 기존에 보던 TV 프로그램과 다른 매력을 느꼈고 이 매력에 빠져 나는 어느 순간 TV보다 라이브 방송을 더 많이 보게 되었다.

라이브 방송을 보면서 나와 비슷한 성격을 지닌 사람들의 인생 이야기도 들을 수 있었고 그들의 이야기에 공감을 하기도 했다. 그리고 나와 접점이 전혀 없는 사람으로부터 삶에 대한 위로도 받으면서 가끔씩은 울기도 했고 그동안 짓지 못한 웃음을 되찾기도 했다. 그렇게 인터넷 방송을 자주 보게 되면서 이것이 살아가는 원동력이 되어 주었다. 내 인생이 아직 끝나지 않았으며 이제부터가 새로운 시작이라는 것을 깨닫고 학교를 쉬는 동안 삶을 살아가는 것을 포기하지 않았다. 인터넷 방송뿐만 아니라 그동안 선입견이 있어서 보지 않았던 일본 애니메이션을 시청하게 되었다. 그러나 애니메이션에서 의도치 않게 명대사를 들으며 삶에 대한 교훈과 위로를 받게 되자 선입견이 사그라들었고 더 다양한 장르의 애니메이션을 보며 그 매력에 완전히 매료되었다.

그중 가장 인상적인 작품은 '86-에이티식스'라는 작품으로 인종이 다르다는 이유로 차별받아 86구로 쫓겨난 어린아이들이 무인병기라는 이름으로 직접 전쟁에 뛰어들며 일어나는 이야기를 다룬 애니메이션이다.

이 작품을 보면서 삶의 의미를 잃어버린 주인공이 다시 일어서며 나아가는 과정을 통해 나 역시 많은 공감을 받았고 끝내는 나의 인생작이 되었다. 그리고 이 작품에 나오는 OST를 들으며 일본 노래에 관심이 생겼고 일본 노래 특유의 밝고 희망적인 가사에 푹 빠지게 되어 자주 듣게 되었다.

그리고 애니메이션 굿즈 샵에 가 보면서 내가 좋아하는 작품의 굿즈들을 사는 것에 흥미가 생겼고 초등학교 이후 처음으로 내가 직접 소비활동을 하면서 자주 밖에 나가게 되었다. 그렇게 시간이 흘러서 졸업식이 다가왔다.

부모님과 선생님께서 내가 졸업할 수 있도록 열심히 노력해 주신 덕분에 나는 졸업을 할 수 있었다. 드디어 길었던 중학교 3학년이 막을 내리고 중학교를 졸업하게 되었고 고등학교라는 마지막 관문에 들어서게 되었다.

6장

고등학생이 된 나는 다시 공포에 휩싸였다. 바로 사회공포증이었다. 낯
새로운 자리에서 새로운 사람들과 다시 3년을 보내야 한다는 공포다.
사회공포증으로 탓이 되어 고등학교에 대해 거부감이 들었고 그로 인해 입학식
날에는 교실에 들어가는 것이 무서워서 몇시간을 돌다 교문 앞에서 울기도 했
고 그걸 보신 나의 부모님은 안타까워하며 나를 격려해주셨고 당당하게 학
교 안으로 들어갔다. 교실에는 이미 시작종이 울려 반 아이들은 선생님을
기다리고 있었는데 그때 복도에서 이번 고등학교 1년을 책임지실 담임
선생님과 만나게 되었다. 선생님은 내가 올 때까지 복도에서
기다려 주셨던 것이며, 선생님의 격려와 함께 교실 안에 들어갔다.
반에는 아는 아이들이 거의 없었으며 나는 앞에 정한 뒤, 자리에 앉았다.
선생님은 자기소개와 함께 앞으로 진행될 일정들을 안내하시고 교실 밖으로
나가셨다. 나는 더욱 긴장되고 그로 인해 수업에 집중을 할 수가 없었다.
그렇게 수업이 끝나자 선생님께서 나를 부르셨고 그리고 교실에 남아 선생님과
상담을 하게 되었다. 선생님은 이미 나의 고민을 나의 부모님을 통해 이미
알고 계셨고 그 덕분에 나의 고민을 더 잘 들어주셨다. 선생님이 해주신
말씀들을 가슴에 새기고 집에 돌아온 나는 그대로 잠에 들었다. 그러나
다음 날 다시 또 공포감이 목 밀듯이 몰려왔고, 그로 인해 학교에
가도 매번 결석을 하면서 선생님은 출결일수를 못 맞출지도 모른다고
걱정하시면서 심지어는 위탁학교를 제안하시면서 힘들어도 학교에 출석을
해달라고 간곡히 부탁하셨다. 나 또한 용기를 얻고 다시 학교에
가게 되었다. 그런데 내 자리에 다른 애가 앉아 있자 나는 매우 당황했고
나는 잊혀진 줄 알았다, 아무도 나를 신경써주지 않을 거라는 좌절감에 빠져
다시 조퇴를 하자 선생님은 그때마다 간식과 함께 나를 응원해주셨고
그 덕분에 나는 다시 용기 내서 학교에 갔고 2학기가 되어서는 조퇴도
급격하게 줄어들고 학교에 점차 적응하게 되었다. 그리고 학교 적응하는
데에 그동안 멈췄던 공부를 다시 하면서 2학기 기말고사에 영어를
80점대로 받으면서 공부에도 의욕을 갖기 시작했다. 담임선생님께서
나를 이만큼이나 응원하고 격려해주시지 않았다면 나는 공포감에 사로잡혀
학교를 자퇴했을지도 모른다. 나는 이전까지도 4년 중학교 졸업을
할 수 있도록 해주신 중3 담임선생님과 내가 고등학교라는 새로운
환경에 적응할 수 있도록 열심히 응원해주시고 격려해주신 고1 담임선생님
정말 은인이라고 여기고 있으며 항상 감사한 마음을 담아, 존경하고 있
는다.

제6장 위기 속에 피어나는 꽃

고등학생이 된 나는 다시 공포에 휩싸였다. 바로 사회불안증이었다.

새로운 환경에서 새로운 사람들과 다시 3년을 보내야 한다는 불안이 공포로 느껴져서 고등학교에 대한 거부감이 들었고 그로 인해 입학식 날에는 교문에 들어가는 것이 무서워 교문을 붙잡고 울기도 했다. 그래서 우리 가족은 '통곡의 교문'이라 부른다. 힘들어하는 나의 모습을 보신 부모님과 동생은 안타까워하며 나를 격려해 주셨고 함께 학교 안으로 들어갔다. 교실에는 이미 입학식이 시작되어 반 아이들은 선생님을 기다리고 있었다. 복도에서 이번 1년을 책임지실 담임 선생님과 눈이 마주쳤다. 선생님은 내가 올 때까지 복도에서 기다려 주셨던 것이며 나를 보자 '태희구나? 잘왔어. 맨 뒷자리로 만들어 놓았다며 격려와 함께 내 어깨에 손을 올리시며 자리로 안내해 주셨다. 반에는 아는 얼굴이 거의 없었으며 나는 겁에

질린 채 자리에 앉았다.

선생님은 자기소개와 함께 앞으로 진행될 일정들을 안내하시고 교실 밖으로 나가셨다. 나는 더욱 긴장했고 그래서 수업에 도저히 집중할 수 없었다. 시간이 어떻게 지났는지 수업이 끝나고 선생님께서 나를 부르셨고 혼자 교실에 남아 상담을 하게 되었다. 선생님은 나의 과거와 지금의 상황을 부모님을 통해 이미 알고 계셨고 그 덕분에 나의 고민을 더 잘 들어 주셨다. 선생님이 해주신 말씀들을 가슴에 새기고 집에 돌아온 나는 그대로 잠이 들었다. 긴장감으로 녹초가 되었던 것이다. 다음날 다시 공포감이 물밀듯이 몰려왔고 학교를 가지 않는 날이 많아졌다. 선생님은 출석일수가 부족할수 있다고 걱정하시면서 여러 대안을 내 놓으셨다. 위탁학교를 제안하셔서 부모님은 상담도 다녀오셨고 자퇴를 생각해 보라고 하셔서 엄마를 힘들게도 했다. 선생님의 간곡한 부탁에도 불구하고 난 자퇴를 선택했다. 자퇴 서류가 다 작성되었고 오셔서 싸인을 하라는 연락을 받은 나는 순간 머리가 멈추었다. 잠시 뒤 정신을 차리고 선생님께 문자를 보냈다.

'다시 학교를 다니겠다고 포기하지 않도록 도와주세요.' 이후 나는 위기감을 느끼고 다시 학교에 가게 되었다. 그런데 그 사이 내 자리에 다른 애가 앉아 있어서 나는 매우 당황했다. '나는 잊혀진 존재야!' 아무도 나를 신경써 주지 않는다는 좌절감에 빠져 다시 조퇴를 하자 선생님은 그때마다 간식과 함께 나를 응원해 주셨다. 덕분에 나는 다시 용기 내서 학교에 갔고 2학기가 되어서는 조퇴도 급격하게 줄어들고 학교에 점차 적응하게 되었다. 그동안 멈췄던 공부를 다시 하면서 2학기 기말고사에서 좋은 점수를 받으며 공부에도 의욕을 갖기 시작했다. (집에서는 내가 다시 공부 중독에 빠질까봐 또 걱정이셨다고 했다.)

담임선생님께서 나를 이만큼이나 응원하고 격려해 주지 않으셨다면, 그때 나를 포기 하셨다면 나는 학교를 자퇴했을지도 모른다. 중학교 졸업을 할 수 있도록 힘써주신 중3 담임 선생님과 고등학교라는 새로운 환경에 적응할 수 있도록 열심히 응원해 주신 고1 담임 선생님이 생명의 은인이라고 여기고 있으며 항상 감사한 마음을 담아 존경하고 있다.

7장

고등학교에 나름 적응한 나는 새로운 학년에 다시 적응하는 데에 1학년 만큼 많은 어려움은 없었고 덕분에 올해에는 친구들을 사귀어 보기로 했다. 공부도 공부이지만 지금 내게는 중학생 때 나의 이야기를 들어줄 수 있고 시험마다 일상을 나눌 수 있는 친구가 필요했다. 그래서 점심시간에 다른 아이들 함께 식사를 했고 모둠 활동에 보다 적극적으로 참여했다. 덕분에 평대로 반 아이들도 나를 더 신경 써주기 시작했고, 많은 대화는 하지 않았지만 인사 정도는 할 수 있게 되었다. 그렇게 친구들과 관계를 맺으면서 학교가 재밌어졌으며, 수학여행 때는 친구들과 같이 자고 먹고 관광을 하면서 즐거운 시간을 보냈고, 1학년 선생님만큼 꼼꼼하지는 않으셨지만 그래도 계속해서 나를 지켜봐주신 담임 선생님과 함께 카드를 하면서 소중한 추억들을 쌓았다. 덕분에 선생님과 많은 신뢰를 쌓을 수 있었으며 의지할 수 있는 선생님으로 관계가 개선되기도 하는 등 수학여행은 지금까지도 잊혀지지 않는 소중한 추억이 되었다. 그러나 그런 행복했던 나를 다시 절망으로 빠트린 녀석이 있었으니, 바로 우리 반의 부반장이었다. 사실 부반장이고 앞뒤가 싸가지가 없고 욕설을 주저없이 하는 걸 보면서 멀리하였는데 갑자기 어느 날 나에게 이유 없이 욕설을 내뱉더니 이전에 이어져 수학여행이 끝난 뒤에도 계속해서 나의 귀를 거슬리게 했다. 나는 결국 이 사실을 선생님께 알리기 위해 그날 반에 들어가지 않고 선생님을 기다렸으며 이를 보게 된 선생님께서 직접 나오셨다. 나는 우리 반의 부반장이 학기 초부터 나에게 욕설을 하며 나를 힘들게 했다고 솔직하게 고백하였고, 선생님은 부모님께 연락해 내가 부반장 때문에 학교를 그만두려 했으며 최근 혼자가 잦아진(?) 것은 그 때문이라는 것을 알게 되셨고 선생님은 그날 나를 조퇴시켜 주셨고 다음 날 부반장에게 사과를 받았고, 그날 이후로 부반장은 말을 걸며 조심스럽게 친해지려(?) 하면서 말했고 나도 어느 정도는 그를 용서할 수 있었다. 그러나 부반장으로 인해 고통받아온 일들이 많았기에 나는 아직 완전히 그를 대하기 수는 없었다. 친구와 인사하며 학교생활을 즐겁게 보내는 것이 올해의 목표였던 나에게 있어 그는 거대한 장애물이 되었으며 그로 인해 즐거웠던 학교생활이 무너지기도 했었다. 그래도 선생님께서 그를 잘 타이르신 덕분으로 그 아이도 본인의 잘못을 인지하고 진심을 다해 사과했기에 용서해 주기로 했었다고 그는 아직도 힘든 시간도 찾아오지만(?) 그 힘든 시간보다 즐거웠던 시간이 더 많았기에 꽤나 만족스러운 한 해가 되었다. 후회는 없다. 적극적으로 학교에 다니면서 친구들과 더 잘 어울리면서 즐거운 학교생활을 보낼 수 있었어서 더욱 좋았다.

제7장 소중한 추억

고등학교에 나름 적응한 나는 유난히 긴 겨울방학이 지나고 2학년에 다시 적응하는데 1학년만큼 많은 어려움은 없었다. 덕분에 올해에는 친구들을 사귀어 보기로 마음먹었다.

공부도 공부지만 지금 나에게는 동생 외에 나의 이야기를 들어줄 수 있고 아침마다 인사를 나눌 수 있는 친구가 필요했다. 그래서 점심시간에 다른 아이들과 함께 식사를 했고 모둠 활동에 보다 적극적으로 참여했다. 덕분에 반 아이들도 나를 더 신경써 주기 시작했고, 많은 대화는 하지 않았지만 인사 정도는 할 수 있게 되었다.

그렇게 친구들과 관계를 맺으면서 학교가 재밌어졌으며 수학여행 때는 친구들과 같이 자고 먹고 놀면서 즐거운 시간을 보내기도 했다.

담임선생님은 1학년 선생님과는 다른 방법으로 계속해서 나를 지켜봐 주셨다. 수학여행 중 걱정과 불안해 하는 나에게 계속 말 걸어주시고 무서워 망설이고 있는 나와 카트 2인용을 기꺼이 함께 타 주셨다. 내가 몇 년간 잊고 있었던 웃음을 찾을 수 있는 순간이었다. 한 바퀴가 정석인데 선생님은 나의 기분을 알아 차리셨는지 몇 바퀴를 더 달려 주셨다.

'태희, 엄청 크게 웃었어요.' 엄마에게 전달하신 선생님의 말씀에서 알 수 있었다. 덕분에 선생님과 많은 신뢰를 쌓을 수 있었고 의지할 수 있는 분으로 관계가 개선되는 등 수학여행은 나에게 큰 의미로 남게 되었다.

그런 행복했던 나를 다시 절망으로 빠뜨린 이가 있었으니…. 그는 우리반 친구였다. 이제는 친구라는 표현을 쓰고 싶지 않아 A라 부르겠다. 학기 초부터 말투가 상냥하지 못하고 욕설을 주저없이 하는 걸 보면서 거리를 두었다. 어느날 갑자기 나에게 이유 없는 욕설을 내뱉어서 속상함을 가지고 있었는데 수학여행 이후에도 계속해서 나의 귀를 거슬리게 말을 걸어왔다. 언제부터인가 교실을 들어가기가 무서워졌고 어느날 교실 밖 복도에서 꼼짝도 못하고 굳어버렸다. 조회를 마치고 나오신 선생님과 긴 대화를 하게 되었다. 결국 그동안 A가 나에게 욕설을 하고 힘들게 했다고 고백을 하였고, 선생님은 엄마에게 연락을 하셨다. A로 인해 학교를 그만두려고 했으며 최근 조퇴가 잦아진 이유를 알리게 되었다. 선생님은 그날 조퇴를 시켜 주시며 푹 쉬라고 위로해 주셨다.

다음날 A에게 사과를 받았고 그날 이후로 A는 말을 보다 조심스럽게 신경쓰면서 말했고 나는 어느 정도는 용서하게 되었다.

그러나 A가 했던 말과 행동으로 너무 고통스러웠기에 완전히 이해하고 용서하는 데는 오랜 시간이 걸릴 것 같았다.

친구들과 인사하며 학교생활을 즐겁게 보내는 것이 올해의 목표였던 나에게 있어 A는 거대한 장애물이 되었으며 A로 인해 즐거웠던 학교생활이 다시 무너졌다. 그래도 선생님께서 A에게 지속적으로 잘못을 인지시켜 주셨고 조금씩 달라지는 모습과 진심어린 사과를 해주어서 학기말에는 용서해 주기로 했다.

고2는 이렇듯 힘든 시간도 있었지만 그 힘든 시간보다 즐거웠던 시간이 더 많았기에 꽤나 만족스러운 한해가 되었다. 무엇보다 결석 한번 하지 않고 적극적으로 학교를 다니면서 친구들과 더 잘 어울리며 즐거운 학교생활을 보낼 수 있어 더욱 좋았다.

8장 - 에필로그.

고3이 된 나는 어느새 마지막 학교생활을 보내게 되었다.
고3이라 그런지 다른 아이들도 대학을 위해 열심히 공부하고 있었다.
선생님도 아이들이 소중한 추억을 간직할 수 있도록 생일인 친구의 이름으로
삼행시를 하고, 이를 선물하는 활동을 하고 매달 반 단체사진을
찍으면서 다시는 돌아오지 않을 소중한 고등학교 생활을 위해 열심히
노력하셨다. 그래서 그런지는 몰라도 활동에 적극적으로 참여하지 않는
학생들을 타이르는 등 조금 엄격하셨다. 그래도 우리들을 위해 고생을
하시는 선생님을 통해 나도 소중한 인연들을 만들기 위해 노력하였다.
그리고 어느새 대학에 반영되는 마지막 내신 시험인 고3 1학기 기말고사가
끝이 나면서 아이들은 보다 편안한 분위기 속에서 이제는 정말로 각자의
꿈을 향해 달려가고 있었다. 비록 내 성적은 좋지 않았어서, 대학은 성적에
맞춰서 갈 것 같지만, 피리라 하는 나의 꿈은 아직 포기하지 않았기에
앞으로도 꿈을 향해 달려갈 것이다. 고1 때 교문에 들어가는 것을 겁나
했던 것이 엊그제 같은데, 벌써 수능과 졸업을 앞두고 있다. 물론
학생이라는 신분에서 어른으로 가는 길이 무섭고 나중 되면 지냈던 친구들과
지금처럼 자주 어울리지 못할 것이라는 점이 슬프고 아쉽기도 하지만
그 과정을 거쳐야 진정한 어른이 되기에 나는 아직 삶을 포기할 수 없고
내가 좋아하는 일을 하며 살아갈 것이다. 그 과정에서 다시 새로운 사람들과
관계를 형성하면서 살아가면 된다. 그리고 나는 그런 앞으로의 미래가
기대된다. 이 길고 길었던 여정도 막을 내린다. 그리고 새로운 모험이
나를 기다리고 있다. 나의 인생은 아직 끝나지 않았다. 그저 꿈을 향해
계속해서 나아갈 뿐이다. 그리고 모두가 마지막에는 웃으면서 삶을
마무리할 수 있기를 바란다.

제8장 모험의 끝

고3이 된 나는 어느새 마지막 학교생활을 보내게 되었다.

고3이라 그런지 다른 아이들도 대학을 가기 위해 열심히 공부하고 있었다. 선생님도 아이들이 소중한 추억을 간직할 수 있도록 생일인 친구의 이름으로 삼행시를 짓게 하셨고 이를 선물해 주는 이벤트를 하고 매달 단체 사진을 찍으면서 다시는 오지 않을 오늘을 기억하기 위해 노력하셨다. 그래서 그런지는 몰라도 활동에 적극적으로 참여하지 않는 학생들에게는 조금 엄격하셨다. 학기 초에는 행동도 느리고 적응이 늦은 나로서는 많이 부담스럽고 힘이 들었다. 그래도 우리들을 위해 최선을 다하시는 선생님의 모습을 통해 나도 소중한 인연과 추억을 만들기 위해 노력하였다.

그리고 어느새 대학에 반영되는 마지막 내신인 1학기 기말고사가 끝이 나면서 아이들은 보다 편안한 분위기 속에서 이제는 정말로 각자의 꿈을 향해 달려갈 준비를 하고 있었다. 비록 내 성적은 좋지 않아서 내가 꿈꾸는 지질학과는 갈 수 없을지라도 포기하지 않고 앞으로도 꿈을 향해 나아갈 것이다.

고1 때 교문을 들어가는 것이 두려웠던 것이 엊그제 같은데 벌써 수능과 졸업을 앞두고 있다. 물론 학생이라는 신분에서 어른으로 가는 길이 무섭고, 친하게 지냈던 친구들과 지금처럼 자주 어울리지 못한다는 점이 슬프고 아쉽기는 하지만 그 과정을 거쳐야 진정한 어른이 되기에 나는 아직 삶을 포기할 수 없고 내가 좋아하는 일을 하며 살아갈 것이다. 그때마다 다시 새로운 사람들과 관계를 형성하며 살아가면 된다. 물론 불안함은 있겠지만 견디어낸 앞으로의 나의 모습이 기대도 된다.

이 길고 길었던 모험도 막을 내린다. 새로운 모험이 나를 기다리고 있다. 나의 인생은 아직 끝나지 않았다. 그저 꿈을 향해 계속해서 나아갈 뿐이다. 그리고 모두가 마지막에는 웃으면서 삶을 마무리할 수 있기를 바란다.

작가의 말

초1, 초5, 초6, 중2, 중3, 고1, 고2, 그리고 고3까지 총 8챕터에 걸쳐 저의 이야기를 써봤는데요, 사실 하고 싶은 이야기가 더 많았지만 모든 이야기들을 다 쓰기에는 시간이 부족했기에 이렇게 중요한 사건들을 위주로 정리해서 글을 쓰게 되었습니다.

1장에서 이미 말씀드렸다시피 저는 어렸을 때부터 몸이 연약했습니다. 그래서 집에 있는 시간보다 병원에 있는 시간이 더 많았을 정도로 많이 아팠습니다. 힘든 어린 시절을 보내기도 했지만 학교에 다니면서 많은 것을 배우고 다양한 사람들과 만나 소중한 추억을 쌓으며 정말 행복했습니다. 나에게 행복과 불안을 가져다준 학교를 졸업하고 곧 어른이 되는 미래가 무섭기도 하지만 한편으로는 꿈에 더 가까워진 것 같아 기대도 됩니다. 이 글로 여러분이 공감을 받고 위로와 격려를 통해 마음을 치유하는 시간이 되셨기를 바랍니다.

끝까지 저의 이야기를 들어주셔서 정말 감사합니다.

뒤의 그림들은 학창시절 동안 그려왔던 전리품입니다.

천천히 감상하세요.

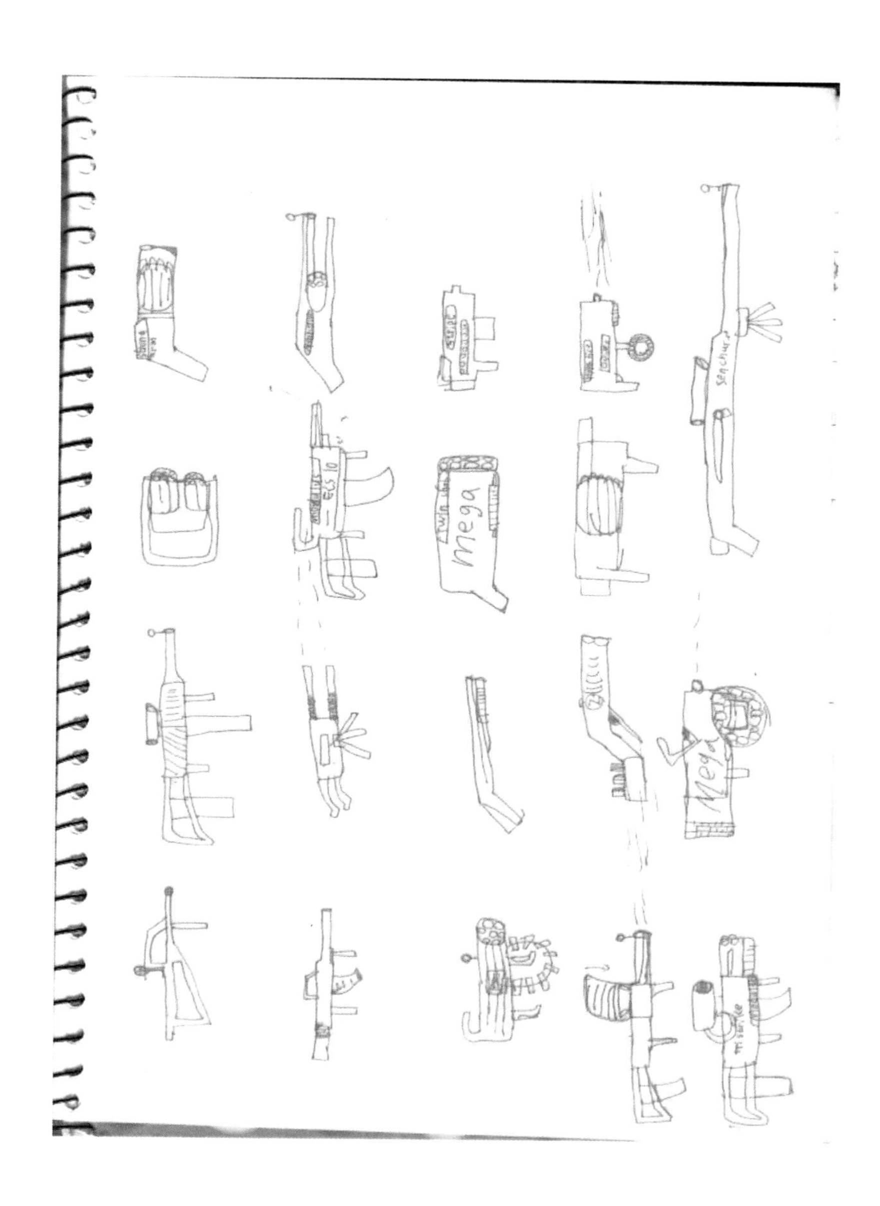
mega
Mega
senchure

「FULL metal
2021.11.20

<Sword art online>
-Kirito

Rachel & Jack
[Angel of slaughter]

<Fate 시리즈>
- 랜슬롯 -
(2023.1.19)